JN085842

明るいミライに
令和のバイブル
新装改訂版

サラリーマン大家-X改め
令和の救世主-X

GENTOSHA

幻冬舎MC

Contents

はじめに

　若い人は将来に期待していない人が多いそうです。この本はそんな失望感を一掃するために書きました。そんなうまい話があるのか？と言われるかもしれませんが、「あります！」と自信を持って答えておりますので読んでください。

　今日本で一番頭のいい人が、三日三晩寝ながら考えたので大丈夫です。ところで、私が思うに本当に一番頭のいい人は、佐藤優さんではないでしょうか。

　ただし前提があります。本当にAIが何割かの人間の仕事に取って代わることです。私はAIの技術開発者ではないので、そのあたりは協力できません。ここは皆さんの努力を期待します。

　他にも日本が抱える問題を幾つか解決できないか、提案や実態を書きました。

　では明るいミライに向かって、皆さんと一緒に、新しい日本を築いていきましょう。

第一章

株主資本主義の終焉、
ポスト資本主義へ

（投資より消費へ）

投資と消費

　最近、感心したのは、「ピケティの法則」で、本物の法則は、難しい言葉で書かれているので、ここは私流に意訳します。

　お金持ちの報酬の増加率＞庶民の収入の増加率

　額ではなく率ですから、級数的に差は広がっていきます。世界のお金持ちトップ何十人が、世界の何十億人と同じ額の資産を持っている、という報道の通りです。

　金持ち１人が贅沢しても、さすがに１億人と同じ額の消費はできないので、お金は消費されず、投資や預金に回されます。消費されないので、経済は伸びません。

　投資は全てが消費に回りません。例えば、投資することで株価が高騰するということは、お金を高利率で預金しているようなもので、しかも株自体には価値がありませんから、ムダにお金が貯まっているのです。

　証券会社は、預かった株を売買取引することで、ほとんど実質の付加価値を生み出さない雇用と、

不労所得を得るもしくは失う人々を創出している
のです。

　日本でも、「1億円以上の報酬をもらう社長や
役員は増えています」が、「従業員の収入は横ばい」
で、一方、「税金や社会保険料、教育費などは増
えています」ので、手元にお金が残らず、消費は
増えません。

　消費されないので、企業の売り上げは伸びず、
従業員の給料は上がらず、さらに消費が増えませ
ん。これが今のデフレの正体です。

　株主資本主義は、お金（利益）が消費に回らな
いという、構造的な欠陥が露呈され、ここに終焉
を迎えていくべきものなのかもしれません。

　株主資本主義を止めるのは比較的簡単です。法
人税率を80％にすればいいのです。代わりに売
上の粗利に課税すれば安定した税収を得られま
す。企業は儲けることがばかばかしくなりますか
ら、投資、賃金、株主配当に回すことでしょう。
長く株を保有してくれる株主は大切です。外資が
逃げていくでしょうが、ハゲタカには去ってもら
いましょう。内部留保には課税が必要かもしれま
せん。

マクロで考えると、金持ち数十人が持っている資産（株）を後進国の数十億人に回せば、難民もスマホ、家電を揃え、ユニクロを着て、アパートに住んで、中古車も買えるかもしれません。産業が興って援助に頼らず、日本にとって新しい市場ができるのです。

第二章

AIは日本を救う

AIと共存する社会

　AIというと不安に思う方がいますよね。自分の仕事が機械に取られて、自分はリストラに遭うのじゃないか、と。違います。というか、違う方向に持っていけば、みんな幸せになれるのです。

　目標を2040年で人の仕事がAIに40％置き換わる、としましょう。もっと早く実現できるかもしれないし、遅くなるかもしれません。ただ昨今のスーパーやショップのレジを見ていると、今後、銀行、役所も含めてあらゆる窓口業務が自動化されていくことでしょう。また営業企画提案やいろんな審査業務も自動化され、病院、介護施設や保育園にもAIが入ってくるでしょう。ガテン系の仕事も自動化が進むでしょう。

　そうすることで2040年までに、40％の人の仕事が不要になったと仮定しましょう。

　AIがあなたの仕事を取っても、会社や組織の生み出す付加価値は、減ることはありません。例えば自動レジでもスーパーの売り上げは同額です。したがって日本全体の売り上げ、収入は同額です。一方、AIに給料を支払う必要はないので、リストラをすれば、40％の人の給与は利益になります。

ポイントはこの「リストラを禁止する法律」を作って、施行することです。リストラをしないと労働者にはヒマができて、時間短縮になりますが、この「時間短縮による給与カットを禁止する法律」を作って、施行することです。

　一見企業に不利に見えるでしょうが、そんなことはありません。「国、企業、個人全てにwin-win」になります。

　では具体的にどうするのでしょうか？

　週5日働く会社は給料を維持したまま週3日働く、にすればいいのです。働く人にとっては時間当たり実質1.7倍程度の賃上げです（1.4じゃないですよ。わからない人は近くの数学の得意な人に聞いてください）。

　余った2日を別の会社で働けば、収入はアップします。2日同じ給与額で働けば、給与は約1.7倍になります。AI化は実際には2040年までに徐々に進んでいくので、だんだん1.7倍になっていくのでしょう（定期昇給や手当は別）。

　そこまで収入を増やさなくていい人は、5日働くけれど、労働時間を40％とか減らす選択もあります。子育て中や介護中の方にはいいでしょう。

働くスケジュールは会社のAIが、希望を聞いてマッチングしてくれるでしょう。もちろん余裕のある方は週3日働いて、残りは趣味などに費やすのもアリです。

　企業にとってどんなメリットがあるのでしょうか？

　マクロで考えると、40%も人員カットすると、市場は40%とはいかないものの、何十%も縮小します。カットされた余剰人員は、社会保障範囲内の、最低限度の消費しかできませんから、消費は確実に縮小します。

　産業革命後のイギリスの労働者は、チャップリンのモダンタイムスみたいに、搾取されていたイメージがありますが、当時の経営者は、定期的な給与アップと、家族の子供の教育には、お金を回していました。従業員や子供は、将来の大事な市場だからです。

　その点、今の経営者に従業員を市場と見る人はほとんどいません。利益を、過剰な投資に回したり内部留保したりせずに、そのお金を昇給に回せば、今後右肩上がりで給与が上がる、と従業員全員が「確信」して、デフレはすぐ脱却できるでしょう。

今の経営者は、株主と自分の出世・収入を意識して、従業員を「コスト」としてとらえるから、それを聞いた従業員は、未来の展望を描けず、不安になってしまうのです。そういう意味で、今の経営者は、自分で自分の首を絞めている部分もあるのでしょうね。

　AIで達成できた40％の余剰従業員を、リストラせずに、賃金を維持すれば、従業員にとっては実質的賃上げのマインドとなり、兼業してくれれば、さらに従業員は収入アップとなり、明らかにデフレマインドは一掃され、購買力は確実にアップします。売り上げ増は確実でしょう。

　自分の会社の従業員が、自分の会社の直接の顧客ではなくとも、マクロで考えれば、収入が上がった他社の従業員やその家族、売り上げが伸びた他社、税収が増えた国、地方が買ってくれるのです。

　もう一つの企業にとってのメリットは、余剰の労働力が発生するので、今後予測される少子化による労働力の不足を補えることです。ぜひ企業間で兼業を認め合ってください。

　AI化するための投資はどうするのか、という問題がありますが、特別損失として明確化することにより、企業の努力を可視化し、評価されるべき

13

です。

　国にとってのメリットはいっぱいあります。

　まず、企業はリストラをしないので、所得税も、年金も、社会保険料も減りません。むしろ兼業する人が増えて収入が上がれば、税収・年金・社会保険料のアップになります。

　リストラされれば発生していた、社会保障費をセーブできます。

　リストラされれば起こっていた、デフレによる税収減を回避できます。

　兼業が進むことで、新たなビジネスチャンスが喚起され、生産・販売・サービスがアップし、それに伴い税収アップとなります。

　収入が徐々に上がっていくので、デフレマインドが去って、購買が伸び、インフレになっていき、税収がアップします。

　国にお願いしたいことは、ぜひ「AI省人化推進法」を作ってください、ということです。

「AIで削減された労働力をリストラしては
ならない」

「AIによって発生した従業員の労働時間短
縮による給与削減は行ってはならない」

「省人化のためのAIにかかった費用は、特
別損失として計上できる」

　とは言っても、企業経営者には抜け道があります。AIによる削減内容を正確には公表せず、徐々に採用を減らして、従業員を常に5日間忙しい状況に持っていき、本来なら余ったはずの賃金を、自分のフトコロに入れることです。自分だけ儲かればいい、こんな企業だらけでは、未来はどうなるのでしょうか？

　先ほど説明したのとは真逆、デフレからは脱却できず、失業者は溢れて、その社会保障費はかさみ、売り上げは落ち込み、企業は減収減益、税収は大幅にダウンし、年金、社会保険料は不足、消費税を上げざるを得ず、さらなるデフレのスパイラルに陥ります。

　怖くて想像するのも嫌になります。

　こういう悪徳企業の監視が、国の再生に向けた最も大事な仕事かもしれません。悪い会社を見つ

けたら、即刻経営陣を入れ替えるくらいの強制力が国には必要となるでしょう。

　後は、AIで削減したコストを価格に反映させられないと、海外との競争力を失うという、主に労働集約型の製造業の会社があります。まず、日本経済は主に内需で成り立っているので、輸出の影響は少ないというのを前提で、2040年でもこのような形態で、海外ビジネスをしなければならないのならば、いずれにしても、競争力はなくなっている、のではないかと考えます。

第三章

2040年25歳の
彼・彼女の一日

20年後の未来

　彼と彼女は2015年生まれです。この本を書いている2020年では5歳です。この2人の2040年の1日を覗いてみましょう。

　1人住まいの彼は、朝7時に1度起きたのですが、AIロボットに「今日は休む」と会社に連絡するように伝えました（面倒なので、この手の機械やシステムは、今後全部AIと呼びます）。AIは、会社のAIに連絡をして、彼は今日休む、ということを伝えます。問題や連絡があれば、彼のスマホ（のようなものですが、ここはスマホに統一します）に連絡が来ます。

　彼は原則、広告代理店のデザイナーを週3日、介護施設で週2日働いています。どちらの会社も、彼のAI（学生時代から使っている）が見つけてきたもので、彼の性格や能力から選びました。彼の了解をもらって、エントリーはマッチングサイトからAIが行い、面接のポイントを彼に伝えて、めでたく採用されました。

　広告代理店は、2020年では忙しい業界ですが、2040年は会社のAIがあるので、格段に楽になっています。ただしクライアントの無茶な要望を聞

いてあげるところは、人にしかできない仕事です。クライアントの対応もAIができるのですが、無茶振りに対する反応がつまらないので、クライアントの受けが悪く、この部分は人間に仕事が残っています。しかしながら、クライアントの会社にもAIがあるので、実務はAI間の連絡・調整で行いますから、彼はキャラクターのデザインに没頭できます。

実は昨日は、一つのプロジェクトが完了したので、その打ち上げがあり、その後、彼女と会ったのでした。ちなみに打ち上げは午後4時からでしたので、彼のグループだけ、全員早く退社したのですが、他の社員は、誰も目にも留めません。

介護施設もAI化が進み、力仕事や汚れ仕事は大部分をAIが行ってくれるのですが、どうしても人と接したいのが、おじいさんやおばあさんの要望です。週2日、近所の2か所の施設で、日程をマッチングしながら働いています。

さて、彼は10時に起きゲームを始めます。しばらくして、AIを呼んでいつものピザを頼みます。彼は、AIのタッチパネルの支払い画面を認証して、20分でドローンがベランダにピザを配達してきます。もちろん、玄関前を指定することもできます。配達したら、ドローンはAIに配達完了を連絡

し、AIは彼に「着いたよ」と伝えます。

　彼のAIはどんな機能があるのでしょうか？いろんなタイプがあるのですが、彼のものはシンプルです。カメラ、スピーカー、マイク、タッチパネル（主に認証用）、大きな映像を映す小型プロジェクターが内蔵されており、自走式ですが、物を持ったり、ドアを開けたり、跳んだりはできません。

　ネット、彼のスマホ、パソコンとは24時間繋がっており、24時間、彼をモニターしています。トイレとお風呂はのぞけませんが、異変を感じたら関係先に連絡するようになっています。自宅にいないときも、スマホ、パソコンはさまざまなことをチェックしています。良くしゃべる方がいいのか、静かなのがいいのか、彼の好みを学習することにより、彼にとって心地よい対応ができるようになってきます。ちなみに彼は普段無口なので、AIは用件を言うくらいしか話をしません。

　さて、彼はピザも食べたし、特にすることもないので、AIを呼んで、介護施設に、今日午後働けないか聞いてもらうことにしました。片方の施設から、午後3時から7時までお願いしたい、という回答があったので、シャワーをとって、出かけることにしました。夕食は彼女が働く中華屋さん

でとることにしています。

　彼女は、中学校の家庭科の教師をしており、週5日午前9時から午後3時まで働いています（休憩は1時間）。そして、週5日午後5時から8時まで、おじいさんとおばあさんが営む、中華屋さんの手伝いをしています。時給は学校より安いのですが、住み込みで、賄い付きですから助かっています。なによりも料理に興味があるので、いつかこっちを（も）本業にしたい、という夢がありますが、今は誰にも話していません。

　実は、おじいさんとおばあさんも、彼女が彼と結婚して、後を継いでくれないかな、と淡い期待をしているのですが、「教師や会社員がまさかね」と笑って話を終えるのでした。

　彼女の勤める学校は、新しく建ったばかりです。オープンスペースを採用しています。見通しがいい方が、イジメ、パワハラ、セクハラなどの問題が起きない、という研究結果がまとまって、彼女の学校も、現代から見るとかなりユニークです。

　教室も職員室も校長室もありません。3階建てで、1階はオープンスペースの大きな部屋と、トイレと会議室、面談室、保健室があります。トイレは見通し良くできないのですが、広い方が、問

題が起きないということで、この1カ所しかありません。校長先生も、3階の生徒も皆ここを使います。

　オープンスペースは、ロッカーや棚で、各クラスと教職員のスペースに仕切られていますが、棚が低いので、全体を見渡せます。校長先生の席は、窓側のソファの隣で、来客との面談はここで行います。

　コーナーに、見通せない部屋が三つあります。会議室、面談室、保健室です。職員会議や打ち合わせはTV電話で行うので、あまり会議室は使われません。主に女性教師たちの、お昼ご飯に使われています。内緒の相談や打ち合わせは、TV電話やメールで行います。面談室は進路指導や相談などに使われます。保健室は広めにとってあり、カウンセラーの資格を持った先生が2人います。生徒の唯一の逃げ場です。

　教室ゾーンは、今と大きな違いはありません。黒板がなくなって、大画面のモニターになったくらいです。先生と生徒全員が、タブレットを使って、マイク付き小型ヘッドフォンを付けています。教科書や辞書やノートはタブレットに入っています。ノートは手書き、キーボード入力いずれも生徒の自由です。もちろん紙のノートも使えます。

2階と3階も、教室と職員室のゾーンに分かれていますが、会議室と面談室以外に、音楽室と美術室はオープンだと、集中できないとのことで、見通せない部屋になっています。ただし入室認証があるので、授業や部活以外は入れません。彼女の担当する家庭科室は、別に見られても平気ですが、料理をすると匂うのでガラス張りの部屋になっています。理科の実験室も同じです。

　体育館は、更衣室だけが外から見えない部屋ですが、大部屋で、クラブ別のロッカー室はありません。部活動の打ち合わせは、体育館の片隅か、空いている教室を使います。文科系のクラブも、教室を使います。道具は、体育館や教室の隅に置いておきますので、道具部屋はありません。

　さて、ここで驚くべき事実をお伝えしましょう。実は、この学校と体育館の外壁は、強化ガラスなのです。つまり外から丸見えなのです。

　入退室は、指紋認証（今の会社のオフィスみたいな印象）なので、今の学校よりセキュリティはしっかりしています。保護者は、入り口で必要な先生を呼びます（今のマンションみたいな印象）。ただしPTA会議はTV電話なので、学校に来るのは授業参観日、体育祭、文化祭、入学式、卒業式などの公式行事だけになりました。先生への相談

もTV電話やメールです。

　このような透き通った建物・仕組みにしてから、校内での、いじめや暴力、セクハラなどの問題は、めったに起きなくなりました。する場所がないからです。最近では、企業もガラス張りが増えてきました。

　彼女の希望は、いつか中華屋を引き継ぐことですが、そうすると、仕込みなどの時間もあり、普通、学校を辞めねばなりません。しかしながら、何とか両立できないものか考えてみました。

　まず、お店の開店時間ですが、午前11時から午後2時です。夜を閉めるというのは、常連もあり、できません。そこで最低、午後5時30分から7時30分は、開ける必要があります。朝の仕込みは1時間かかり、後片付けも30分くらいかかります。

　幸いにも同じ街に学校があり、自転車で5分の距離ですが、中華屋でフルに働くと、学校に滞在できる時間は、午前9時から10時までの1時間と、午後2時半から4時半までの2時間になります。合計3時間なので、今より実質2時間時短になりますが、実は水曜が中華屋の定休日なので、水曜の授業時間を長くして多少の調整は可能です。教員

としての収入は減りますが、中華屋の収入アップでお釣りがくるでしょう。

　結構大変ですが、可能ということはわかりました。今は新人なので、学校で学ぶことも多いために、提案しませんが、数年後には、おじいさん、おばあさんに話してみようと考えています。

　問題は、老夫婦の年齢です。2人とも80代で、今は元気ですが、そろそろ引退して、今は貸している、3階の部屋に移り住みたいようです。ちなみに、この建物は、1階がお店で、奥が1DKの部屋になっており、そこに彼女が住んでいて、老夫婦は2階に住んでいます。

　中華屋は2人でないと回りませんが、バイトを雇えるほど儲かりません。後を継ぐということは、彼と結婚して、手伝ってもらうのが現実的です。仕込みと調理と後片付けは（といっても主に食器洗い機の出し入れですが）自分がするとして、接客配膳だけを、彼に手伝ってほしいのです。

　彼は中華屋で、午前11時から午後2時までの3時間と、午後5時半から7時半までの2時間を、月曜から土曜までの内5日間働くことはできるのでしょうか？

できます。

しかし介護施設は辞めます。広告代理店は週3
日勤務から5日勤務にします。労働時間は1日5時
間です。

彼の仕事はデザイナーですから、仕事は家で行
います。打ち合わせも会議もテレビ電話なので、
めったに出社しません。昨日は、打ち上げがあっ
たので、たまたま出社したのです。今は、事務も
営業も開発も在宅で行います（出社するかどうか
は本人の自由です）。

ということで、午前9時から11時、午後2時か
ら5時半、午後7時半以降と、水曜の終日の間か
ら5×5=25時間を選べばいいのです。場所は問
わないので、お店のテーブルを使ってもできます。
実際に、彼女はお店のテレビの下のテーブルで、
職員会議と面談を行ったことがあります。

いずれは、彼女の方から、彼に提案してみるつ
もりです。なぜなら、彼女は、彼と「平成レトロ」
なこの中華屋が、大好きだからです。

第四章

出世しましょう

出世は悪いことばかりではない

"本章は私の前著「女子の不動産トリセツ　私も、失敗しないので」（誠文堂新光社発行）の第二章「頭金を貯めましょう」を改題加筆したものです。この本は自分が住む・これから住む街に2LDK、3LDKのマンションを買って家賃収入を得る方法が書かれています。その為の街の選び方、マンションの選び方、不動産屋・信用金庫の担当者との付き合い方、収支計画の作り方などが、誰にでもできる方法で書かれています。この章は、まずお金を貯める、その為には出世することが近道であるということを書きました。お金は不動産事業をやる・やらないにかかわらず普遍的に必要なものですから、ここに載せたいと思います"

　あなたが大家になることが、いかにあなたの人生をおトクにするのか、そのためにあなたが真剣に頭金を貯めることが、いかにあなたの人生を潤すかについて、お話ししたいと思います。

　いきなりですが、マルクスは資本論で人間を、ブルジョアジー（地主、資本家、経営者）とプロレタリアート（労働者）に分けました。ブルジョアジーはプロレタリアートから搾取します。これは今も同じです。共産革命でプロレタリアートは

ブルジョアジーを排除したのですが、結局プロレタリアートのなかに階級があらわれ、それが資本主義以上にひどかったので崩壊しました。搾取という言葉は刺激的ですが、大家になればあなたも、店子から搾取することになります。

私が搾取という言葉を用いたのは、別に共産主義の説明をしたかったからではなく、大家がボロ儲けだからです。いったん店子が入れば、あなたは何もすることがありません。毎月不動産屋さんの報告書を読むことと、不動産屋さんに手数料を振り込むことと、経費の伝票（例えばプロバイダー料）を保管するくらいです。あとは確定申告の作成と提出と納税ですが、数時間の作業で終わります。それで年間の利益が120万円ならば、時給換算で数十万円です。ボロ儲けでしょう？確かに最初の15年は自分の手元にお金が残りませんが、他人にローンや経費を払わせるアコギな商売なのです。世界には仕事をしないで、年中悠々自適で世界中旅している人がいっぱいいます。

さて余談ですが、あなたを含めほとんどの読者が、必ず搾取されているものは何でしょう？考えてみて下さい。

それは、携帯電話代です。携帯会社は多額の初期投資がかかりますが、投資が済めば電波代なん

てタダみたいなものですから、毎月の代金はほとんど利益になります。もうひとつのボロ儲けは高金利のカードローンです。銀行は本業が苦しいのでカードローンに力を入れていますが、よい子の皆さんは、コマーシャルなどで俳優さんに微笑まれても絶対に利用してはいけません。

　話がそれてしまいましたが、皆さまにはぜひ、プチブルジョアジーの仲間入りをしていただきたいと思います。おそらく大家は、普通のサラリーマンが誰でもブルジョアジーの仲間に入れる唯一の方法でしょう。

　ゴールは2軒、16年後から毎月手取りで20万円が入ってきます。人生100年時代の50年で、年間240万×50＝1億2,000万円の利益になります。

　あなたが使ったのは初期投資と消耗品やリフォーム代ですが、収入に比べれば微々たるものです。中古マンションの建て替えのリスクはありません。社会で問題となっているのは、エレベーターがない団地のような物件ですから、本当はマンションと呼べないですよね。

■ 出世して頭金を貯める

物件を買うには頭金を貯めねばなりません。複数の物件を所有するには、沢山お金を貯めねばなりません。一方、住宅費や子どもの教育費の支出は、これから増えていくので、収入を増やしていく必要があります。

汗水たらして働くのもいいのですが、手っ取り早いのは、出世して給料を上げていくことです。最近の若い人、特に女性は出世を望まないというデータが出ているそうです。その理由には、誤解がいっぱいあるようなので、その誤解を解いていきたいと思います。

その❶ 出世すると忙しくなる
自分の時間が持てない

ウソです。出世すればするほど、時間を好きに使えます。無駄と思われる業務や会議を、どんどん廃止できます。忙しく見えるのは、忙しいのが好きな人だからです。あるいは忙しさを、その又上司にアピールしているのです。

私は忙しいのが嫌いなので、ビジネスのスキームができたら、あとはなるべく部下にまかせて早く帰りました。もちろん「今晩中にまとめなさい」

などとは言いません。偉くなると自分でスケジュール管理ができるので、中抜けの自由時間を作って、不動産の内見もできます。毎日保育所に子どもを迎えにいくことも可能です。要するに、やることをきちんとやっていれば、時間はかなり自由だということです。上司が早く帰ると部下も早く帰りやすくなるので、職場では普通問題はありませんが、部長や課長はズルいとか思う人がいます。思うだけなら思わせておきましょう。人がどう思うかは本人の自由意志ですから。それで具体的な弊害が出たら、それを解決すればいいのです。

その② 出世すると責任が重くなる

責任をとればいいのです。どうやってとればいいのでしょうか？江戸時代にみたいに、腹を切るわけにはいきません。プロジェクトのたび左遷していたら、人がいくらいても足りません。毎回ペナルティを作って課していたら、複雑で訳が分からなくなります。日本の会社で責任をとるのに一番いいのは、謝ることです。自分から先に上司のところに行って、「申し訳ございませんでした」と頭を下げればいいのです。それだけです。

部下には、「私が責任とるから心配しないでやってみて」と言えばいいのです。カッコいいでしょう？もし失敗したら、一緒に上司のところに行っ

て、一緒に頭を下げればいいのです。ポイントは「必ず先に謝る」ことです。謝るのに慣れていない方は、まず家族、友人、パートナーで試してみてはいかがでしょうか。家族に、誠に申し訳ございませんでした、と言うと、ついに頭がおかしくなったと思われるので、「ごめんなさい」とはっきり声に出して言ってください。人間関係も良くなります。

その❸ 部下をマネージする自信がない

焦る必要はありません。ゆっくりやればいいのです。大事なことは、部下にあなたをわかってもらうことではなく、「あなたが部下一人ひとりを理解すること」です。一人ひとりの仕事のやり方、速度、くせ、得意なこと、苦手なこと、好きなこと、嫌いなことをゆっくりと観察してください。そして、その部下が張り切る、喜ぶ方法で対応すればいいのです。

それでもどうしてもうまく仕事ができない部下がいたら、仕事を変えてあげましょう。

その❹ 出世する自信がない

自信なんていりません。必要なのは努力だけです。能力はあとからついてきます。大事な事は本

気で目標を持つことです。例えば具体的にいつか
○○リーダーになる、と自分の目標を掲げてくだ
さい。そして、真面目に不平を言わず、リーダー
の仕事も見ながらコツコツ働いてください。いつ
か、まわりの人たちが、次はコイツだね、という
日が来ます。

その5 ▶ 女性は出世しにくい

職場で女性が活躍する事を快く思わない、邪魔
をする男性は必ずいます。これは理屈ではなく、
その人の本能です。女性の皆さんも「生理的にムリ」というオジサンはいるでしょう?それと同じ
ことです。こういう人は何をいっても、どんな研
修を受けても直りませんから、こういう人が上司
ならば早く異動してください。手っ取り早く異動
するには、部外に親しい管理職がいる、作ること
です。その人に引っ張ってもらいましょう。

どうですか、出世してもいいと思いませんか?

むしろ収入が上がって時間が自由になっていく
のなら、出世すべきと思いませんか?そう、出世
をすると人生がおトクになるのです。

自分の視点からだけで世の中を見てはいけませ
ん。次の話は本題からそれますが、違う視点から

見ることの例です。

　前に若い人から「職場で再雇用のオジサンたち
が集まって、いつも無駄話をしている、自分たち
が稼いだお金が、彼らの給料になると思うと本当
にムカつく」と言われたことがあります。私はこ
う言いました。「いい会社だね、あなたが歳をとっ
ても、カフェテリアで、友達とおしゃべりができ
る余裕の会社だね」と。そして、「あなたが心配
しなくても、本当に会社が大変になったら、真っ
先に切られるのは、こういうオジサン達からです
よ」と。

■ 私が昔作ったジョーク

> 　A君は常日ごろ、仕事もできないのに、誰
> でも年功序列で一律に出世していく仕組み
> に疑問を持っていました。会社も彼の考え
> に理解を示し、彼を制度変更の担当にしま
> した。
> 　人事制度の変更には長い時間がかかりま
> す。しかし何年かあとに彼は制度を完成さ
> せました。そして、彼が第一期対象者とな
> り降格されました。きっと仕事が遅くて、
> 不正確だったのでしょう。

　視点を変えてみるのは本当に大切なことです。
確かに今は若い人がお年寄りの年金を支えていま
すが、お年寄りが払った税金で作った道路や橋を、

皆さんはタダで使っているという一面もあります。今はバブルの頃に比べて生活レベルが低いという人がいます。でもバブルの頃はペペロンチーノを家で食べることはできませんでした。そういう食べ物があることを知らない人もいっぱいいました。

皆さんが今コンビニで買っている弁当や総菜は、昭和の時代には誰も食べたことのない美味なものでいっぱいなのです。幸せだとは思いませんか?

私は織田信長にはなりたくありません。戦国時代は冷蔵庫がなかったので、食事はろくなものがなかったでしょうから。信長はワインを好みましたが、当時は超貴重品でした。今はコンビニに行けば500円で買えます。

何があなたにとって本当におトクで豊かな人生なのか、いろんな視点で考えてみてください。ちなみにアインシュタインという物理学者の「特殊相対性理論」は、ある事象を一方だけではなく、別の角度から見た場合、違って見えることを証明した理論です。私たちも相対的に物事を見る力を養いましょう。

話を会社に戻します。先に挙げた再雇用のおしゃべりオジサンの話をしましょう。若い人が稼

いだお金が彼らの給料になっているというのは本当でしょうか？　確かに今のオジサンは生産性が低いです。でも若い彼の上得意の顧客は、実はオジサンが30歳の時に新規開拓をして契約したお客かもしれません。

　私は入社一年目で係長の仕事を引き継ぎましたが、初任給は係長の半分です。同じ仕事をしていても。歳とともに給料が上がる、年功序列型の給与体系です。この年功序列型給与体系に反発して、会社に仕組みの変更を迫ったのは、（正確に言うと、そんな世論を利用した会社にのせられたのは）当時若者だったバブル前後に入社した今のオジサン達です。

　90年代の終わりに多くの会社は実力主義の名のもと仕組みの変更を行いました。しかしこれは本当の実力主義ではなく、中間管理職を減らして経費を削減、バブル崩壊後の不況を乗り切ろうとしたのです。賃金カーブは40代で頭打ちになり、これは今も続いています。何のことはない、当時の若者は自分で自分の首を絞めたのです。

　先ほどの話ですが、私は初任給が低いことに何の疑問も持ちませんでした。日本では給料は後払いだ、と説明を受けていたからです。年功序列は日本独特のものですが、日本人の長い歴史の中で

よくできた仕組みだと思っていました。すなわち、若いうちは無駄遣いしないように賃金を抑え、年齢とともに出費も増えてくるから賃金を上げていくという仕組みです。江戸時代の商家は丁稚（小僧）、手代、番頭、暖簾分けという仕組みで年功序列賃金体系を作っていたのでしょう。

残念ながら、賃金カーブの抑制と非正規の比率増のために、年功序列のシステムは崩壊していくのですが、その引き金になったのは当時若者が叫んだ実力主義というのは皮肉すぎます。本当の責任者は、頭で考えて海外の真似をして、実力主義を美化していた当時の学者、評論家、そしてマスコミでしょう。今の少子化、未婚率増などの原因はまさにこれだと私は考えています。

ちなみに実力主義というのは、一部の人間が選ばれて、年功序列時代よりも、より高い報酬を得るシステムです。ただ本当に実力かは疑問もあります。そもそも実力の定義が曖昧です。大きな会社の場合、出身校や人脈かもしれません。会社が儲かる発明を行えば、ある程度偉くなれますが、多分社長にはなれません。トップセールスマン・ウーマンは報酬がいいですが、多分社長にはなれません。東大を出て、父親が政治家や官僚のお偉いさんだと可能性はありますが。

若い人やマスコミの間で、オジサン・再雇用者の生産性の低さをどうにかすべきだ、なんて議論されていますが、下手に仕組みを変えられて、自分がオジサンやオバサンになった時に、安い給料で休憩のお茶を飲む暇もなく、やたら働かせる会社になっていないように祈っています。歴史は繰り返しますので。

　また最新のパソコンやソフトを上手く扱えないオジサンを揶揄するような記事もありますが、将来、令和生まれの上司に、プログラミング言語のひとつも使えないのか、とか言われる日が来るかもしれません。それぞれの世代が共存していくことが大切です。

　私が本当に言いたいのは、人のことを気にしないで、先に挙げたようにプチ出世して、収入が少しでも上がることを目指して欲しいということです。人のことを気にしても世の中は良くならないし、なによりもあなたのエネルギーを無駄につかいますから。それよりもあなたが60歳になった時に胸を張れるレガシーを何か残しましょう。

　そして色々な視点から物事を見れば、自分の悩みや問題、思い込みが、それほどのことでもないことが多々あると実感できるはずです。

第五章

不祥事は
なくならない

人間は感情で判断する

　残念ながら不祥事はなくなりません。なぜなら人間は、本当に大事なことは「感情」で判断するからです。

　皆さんも、ネット通販のサイトやスーパーで、ためらいなく安い方を、評価も参照して、合理的に選びますよね。でも6,000万円のマンションは、いろいろ検討はしますが、最終的には「気に入った」という感情で判断します。就職も例えば商社希望なら、何社も検討して気に入ったところに入ります。

　もちろん決め手になったいろいろな理由を挙げられますが、同じ条件の、別のマンションや商社を提案しても、気に入った方を選びます。好きだからです。そもそもマンションを、今買う気になったのも、商社を選んだのも、さまざまな理由はありますが、最後は感情が判断したのでしょう。

　合法的に決められたので、不祥事ではありませんが、過去100年で最悪の判断である、日米開戦（正確には英国、オランダ、オーストラリア、カナダも含みますが）は、当時のトップの人たちは、どうして決めたのでしょう。どう合理的に見ても

メリットはないのに。諸説ありますが、私の結論は、チコちゃん風に言うと、こうなります。

「殺されたくなかったからー!」

　ちなみに軍人は公務員です。軍隊の偉い人は、陸軍士官学校か、海軍兵学校を出ています。当時東大と並ぶ難しさだったそうです。私の経験では、頭のいい人は、2種類に分かれます。「研究派」と「1番派」です。もちろん1番派の人も、一所懸命仕事も研究もしますが、目標は1番になること、そして1番であることの心地よさにひたることです。DOCTOR-Xで言うと、大門未知子だけが研究派で、残りの医師は多かれ少なかれ1番派です（でした）。

　さて話を戻しますが、開戦を提案推進したのは、陸海軍本部の40代前半の士官たちで、今で言うと課長くらいのポジションの人たちです。この世代の本部で働く人は、失敗の責任は現地や上司にとってもらえ、自分は危険なことはしなくていい、と考えて非常に安全なところにいます。もちろん、士官学校や兵学校で優秀だった人です。

　当時の世論は開戦です。年頃の息子や孫を持つ女性や、本当の知識人はそうではなかったのですが、人前では言い出せない雰囲気でした。その世

論をバックに開戦して、勝とうが多少負けようが、名を上げて1番への道を確固たるものしたかったのです。ただ、ここまでボロ負けするとは予想もしていなかったでしょうが。ちなみに逃げ足だけは本当に1番で、満州の関東軍の幹部や陸軍参謀本部の連中は真っ先に逃げました。

軍人さんの名誉のためにいいますが、外地には立派な軍人もいて、例えば樺太の司令官は、ソ連が攻めてきても、まず民間人の避難の手配をして、そして自分はソ連との停戦合意に臨みます。多分、この司令官は、士官学校の成績はあまり良くなかったのか、本部の幹部とそりが合わないので、樺太に配属されたのかもしれませんが、1番を目指さない人格者だったのでしょう。

エリートが多かった満州からは、幹部が真っ先に家族と逃げています。多くの兵隊と、民間人は取り残されました。そしてたくさん死にました。

私は、あのまま終戦せずに、アメリカ軍が上陸してきたら、司令部と政府要人と天皇を長野の地下に移し（家族も）、民間人は置き去りにされただろう、と確信しています。

さて、話を戻しますが、当時の世論も背景に、若い軍人には「アメリカは許せん！」と言って、

開戦を扇動するものも増えてきます。ここで思い出されるのは2.26事件です。青年将校と呼ばれる若い陸軍士官が、時の政権のトップたちを暗殺した事件です。開戦時のトップたちは、この事件が必ず脳裏に浮かんでいたはずです。

　開戦を検討する会議では、陸海軍のトップが天皇から「本当に勝てるのか」と聞かれると、はっきりと勝てるとも負けるとも言いません。曖昧発言で、まさにお役人の本領発揮です。勝てるという確信なんてないし、負けるかもしれないけど、はっきりと「負ける」と言うと、それが外に伝わって暗殺されてしまうかもしれない。ここは「自分ははっきり勝ち負けを断言せず、次第に開戦になっていくのがベストだ」と考えたのでしょう。

　むろん、軍人だけでなく他の大臣も。

　そして誰もはっきり反対しないので、開戦してしまったのです。誰1人反対して辞任するトップはいなかったのです。

　自分たちにとっては、生き延びていく上で、ある意味合理的な判断かもしれませんが、国、国民にとっては、非常に非合理的な結論が、彼らの感情で決まってしまったのです。

今の話に戻しますが、難しい学校を出た会社員、お役人、そして政治家は、程度の差はあれ、1番派が多いようです。むろん正義感があって、熱心に働いています。

　しかし、そのうちに、不本意なことを指示されたり、あるいは忖度しなければならない事態が起きます。

　やめた方がいいのでは、と上司に暗に忠告を試みてもダメな場合、了解しなければ、ここで人生レースは脱落です。せっかく幼稚園、小中高大学で、1番を目指して勉強して、晴れて希望する役所、会社に入って頑張ってきたのに、この一瞬で全てがガラガラと崩れるのです。それに耐えられず、言ってしまうのです。

「了解しました」

　当人にとっては運悪く表沙汰になってしまった場合、マスコミや世論は叩くでしょうが、やらされてしまった彼もしくは彼女が本当の悪人なのではなく、やらせた方が100倍悪いのです。ここはちゃんとやらせた方をしっかり叩いてください。とは言っても、やらせた方は隠れているか、偉すぎて表沙汰にできないことも多々あるでしょう。

私の経験では、私が無精者だったせいもありますが、1番を目指すよりも、やりたいことをやったときの方が心地よかったです。ただし、人に指示されるのはキライなので、極力自分で決められるポジショニングにいましたし、今もいます。会社人生の9割くらいかな。こんな生き方もありますよ。

「その方法」

　＊めだたない部門を選ぶ
　＊注目されていないアイテムを選ぶ、あるいは新しく探して一所懸命勉強する
　＊そのアイテムで、会社で1番の知識を持つ
　＊そのアイテムの売り上げを増やす
　　しかし、もともと注目されないレベルなので、結構自由にやらせてくれる
　＊とは言っても、そこそこ、売れ、そこそこ、のポジションになる

第六章

北方領土は
あきらめよう

現実を考える

（今はウクライナで大変ですが5年後、10年後、20年後には終わっているでしょう。戦争後としてお読みください）

なぜか？

絶対に返ってこないからです。そして返されても困るからです。それよりも私は星野リゾートさんなんかに進出いただいて、早くおいしい海産物を堪能したいのです。

ロシアにとって、日本に北方領土を返して得るメリットは殆どありません。むしろ帰国を望むロシア人の面倒をみなければならないので、デメリットばかりです。だからロシアは永久に返しません。

日本は武力で奪還しないので、よって四島は永久に返ってきません。まあ、お金で買うことはできるかもしれないが、次に述べるように返されても困るのです。

返却された場合、そこは日本になるので、インフラ整備はどうしますか？

インフラや待遇（例えば学校教育）を本土並みにする予算はどうしますか？

電気ガス水道は当面そこにあるものを使うとしても、今後は日本が管理しなければなりません。その費用は誰が持つのですか？

残留を希望したロシア人の社会保障費は誰が負担しますか？

なんかいっぱいお金がかかり、ロシア人と揉め事も起こりそうなだけで、いいことがなさそうです。

それよりも、1日でも早く四島を放棄し、平和条約を締結して、交流を開始しましょう。航空機・フェリーを開通し、リゾートホテルを建てて、近くで採れる海産物を使って、一流シェフの味を堪能する方が、はるかに私の望むところです。

ドラえもんののび太は出木杉君ではなくジャイアンが友達です。少し乱暴ですが、おかげでクラスからのいじめはないでしょう。

第七章

北朝鮮と
国交を結ぼう

北朝鮮との付き合い

　はじめに、誤解なきようお伝えしますが、私は政治的に「右」でも「左」でもありません。あえて言えば「上」か「前」です（笑）。

　北朝鮮と、国交を結ばない最大の理由は、核問題と拉致被害と理解しています。

　一度核を持った国は核を絶対捨てません。フセインが核を持ったという情報があり、イラクと戦争を起こして、アメリカが取りに行ったのですが、見つからなかったのは、本当になかったからでしょう。

　核を持った国とも国交は結べます。アメリカも中国もロシアも国交がありますが、核を持っています。核は抑止力です。いったん使ったらどっちも死ぬことを知っているので、核戦争は絶対に起こりません。

　北朝鮮は、朝鮮戦争のあと、戦争をしていません。中東と違って、近くに戦う相手と理由がないからです。ちなみに韓国は、ベトナム戦争に参加していますので、このあたりでは最後に戦争をした国です。

北朝鮮は、大韓航空機事件を起こしたり、韓国の軍艦を沈めたりしましたが、中東、アフリカ、南米の怖い国に比べれば、おとなしいものです（もう一度言いますが、私は向こうの回し者ではありません。事実を淡々と書いているだけです）。

　拉致被害は本当に恐ろしい話ですが、関係者が年齢を重ねる一方なのに、一向に進展が見られません。拉致された方も、北朝鮮生活も長くなり、家族も増えているかもしれず、一概に日本に帰国させればいいものでもないでしょう。

　国交を結び、不可侵条約を締結して、北朝鮮に行って探せば、いずれは見つかるかもしれません。もちろん北朝鮮は拉致したことは認めませんが、そんなことはどうでもいいと思います。政治問題は全く抜きで、彼らは日本と北朝鮮を行き来すればいいでしょう。

　日本としては、北朝鮮に経済協力して、ホテルや企業も進出して、一言で言うと「仲良くwin-win」になるのです。そうすればミサイルを向けられることもなくなるでしょう。米国が何か言ってきますが、「おたくには関係ない」と言える勇気が必要です。

第八章

浮気は
なくならない

浮気と理性

「浮気は決してなくならない。するか、しないか、されるか、されないかである」

ゲーテあたりが言いそうですが、私の名言です。不倫という言葉は、倫理にもとる、ということだと思いますが、一夫多妻の国や比較的寛容な国もあるので、倫理という重い言葉は使わず、浮わついた方に統一しますが、同じことです。

久生十蘭という作家が、従軍記者をしたときの日記を読んだのですが、デジャヴを感じ驚きました。私の昔のアジア出張と同じ様子だったからです。ちなみに従軍記者とは、軍の要請で、作家や物書き屋が戦地に派遣され、そこの様子や幹部のインタビューの記事を書く人です。

彼はまず、ジャワ島（インドネシア）の比較的安全な、海軍の本部の街に着きます。軍も彼に良い記事を書いてもらいたいので、比較的高待遇をします。今でいう本社からの出張者でしょうか。現地部隊の若い士官が付いて、仕事や食事の案内をします。今でいう若い現地駐在員でしょうか。

昼間は士官のアテンドで、いろいろ回って取材

をしたり、部屋で原稿を書いたりします。夕方になると、士官が夕食を誘いに来ます。他にも出張者がいると、一緒に行くこともあります。食事が終わると、「若い女性がいる飲み屋」に行きます。インドネシアはオランダ領だったので、逃げ遅れたオランダ人の女性の店もあったようです。気に入った女の子がいれば、お持ち帰りもできるし、ただ女の子と飲んでいてもいいです。それから宿舎に戻って、マージャンをしばらくして寝ます。

今の男性のアジア出張者も、似たようなものではないでしょうか。まあ、二次会に行くか行かないかは本人次第ですが。

今この原稿を書いている2020年1月に、東出昌大さんと唐田えりかさんが、浮気報道されました。そのとき私の第一声？は、

「いいなー」

でした。別にエロい意味ではなく、一緒に話したり飲んだりしていたんだ、それもラブラブで、東出さんがうらやましい、というのが第一の反応。

なぜかというと、唐田さんは、私にとっては久々の、女性として好きな女優なのです。ノーブルで控えめで、これからも復帰することがあれば、前

と同じくドラマを見ることができるでしょう。私は作品と私生活は全く別という主義です。でないとビートルズは聞けません。ブログもインスタもツイッターも見ません。

　でも、確か東出さん結婚していたよねー、朝ドラに出ていた人と、ダメだよねー、というのが第二の反応です。

　私は唐田さんのファンなので、本心は彼女に立ち直って、活躍して幸せになって欲しい、と思うのですが、周りの人には本心は明かしにくいのです。

　何が言いたいかというと、浮気はルールとか慣習上許されないことですが、感情では誰もが考えていて、理性で抑えているのではないでしょうか。または抑えきれないのかもしれません。

　TVドラマみたいですが、子育て中で忙しいキャリアウーマンが、家では旦那が冷たくて、相手にしてくれない。そんな中、同僚の20代の優しいイケメン君が、いろいろ気を遣ってくれたら、誰でも浮気心が出てしまうのではないでしょうか。

　人間はそんなに高貴ではありません。私たちに他人を裁く権利はありません。ネットで（自分は差し置いて）人の非難ばかりしている人の、心の

貧しさはどこからくるのでしょう。きっと仕事や
学校や人生でストレスを感じているのだろうな。

「浮気はなくならない。でも当事者たちだけで
そっとしておきましょう。他人の浮気に興味を持
つことや、それを取材して取り上げる仕事は、恥
と心得ましょう」

第九章

イジメ問題

イジメと私の経験談

　私はイジメをされたことがあり、またイジメを
したこともあります。

　私が40歳くらいのときのことです。高速道路
を一人で運転していたとき、ふと、小学4年生の
あのとき、自分があの子に行った行為はイジメ
だった、と気付き、彼に申し訳なくて、涙がとま
らず、運転に困ったことがあります。

　イジメの最大の問題は、イジメをしている側が、
イジメをしているという自覚がないことです（パ
ワハラも同じです）。いくら説明しても自覚がな
いので理解できません。いったん収まっても、ま
た始まります。

　よって、結論は「離れる」しかありません。私
は策を弄して、上司を追い出したことがあります。

　実はパワハラに対抗する唯一の方法がありま
す。上司の倍くらいの声で「逆ギレ」すればいい
のです。二度と近づいてきません。

　逆ギレをすると、上司は一瞬、何が起こったの
かわからず目が泳ぎまず。そして何か言い返して

きそうになったら、たたみかけるように再びキレてください。そして、その場を立ち去り、席にいてもいいし、帰ってもいいです。もし上司が席に来て何か言ったら、今度は無視です。無言を貫いてください。職場の人たちもパワハラで悩まされてきた人も多いでしょうから、心のなかでは、よく言ってくれた、と拍手喝采です。

　自分がとばされるリスクはありますが、そんな職場ならとんだ方がいいです。

　学校でいじめられていると訴えてきた子がいたら、即、近くの学校に転校、無理ならば離れたクラスに移動する。いじめは生徒の聞き取りをして「解決」するのではなく、「すぐ引き離す」のです。善悪の判断を排した機械的なシステムを作る必要があります。同じ学校だと「逃がさないぜ」と出口で待ち伏せされるかもしれず、できるだけ転校が望ましいです。

　先生の仕事はイジメを見つけ出すことです。イジメは教育でどうにでもなるものではなく、イジメる子の本性まで入っていく難しい問題です。ここはまず見つけた先生を評価すべきです。

　最後に家庭でのイジメ、すなわち虐待です。この間、通っている病院の裏口で母親が子供に怒号

を上げていました。子供は前を向いて無表情です。
「あなたのしていることは虐待ですよ」と言ったら、
どこかにいなくなったのですが、あの子が毎日ど
んな思いでいるのか、胸が苦しくなります。

　家庭はブラックボックスですから入り込めない。
私たちができることは、そこから逃げてきた子た
ちを最大限受け入れる仕組みを作ることでしょ
う。一例として、あえて、歌舞伎町にシェルター
を作って無条件で受け入れるのです。

第十章

夫婦別姓とLGBT

夫婦別姓の解決案

夫婦別姓の賛否が議論されていますが、私が解決案を提示しましょう。

戸籍に夫婦両姓を記載するのです。子供も両姓を記載します。好きな方を印刷して、必要とするところに提出すればいいのです。

妻の会社には妻の姓で登録し、年金、健康保険もそれに合わせれば、会社の手続きも混乱しません。妻は、子供の学校では夫の姓を使って、子供も夫の姓にすればいいでしょう。どちらでもいいですが。子供は、母が会社では違う姓を使っていることを、知らないかもしれません。どっちでもいいですが。役所も会社もAIの時代ですから、別に問題なく処理できるでしょう。

LGBTは賛否それぞれあるそうですが、私は当事者でもない方が、一所懸命議論しているところからして、理解できません。別にあなたに迷惑をかけているわけではないし、損をするわけでもないのに、何をいきり立っているのか、よく理解できません。

この問題の本質は、LGBTのカップルが社会保

障や、社会での契約で不利益を被っていることです。例えば、配偶者の税控除が受けられません。年金を合体できません。パートナーの会社の健康保険に入れません。相続できません……

「婚姻」には反発のある人もいるでしょうから、「入籍」にして、同じ戸籍に並べてはどうでしょうか。そして役所も社会保障も会社も夫婦と同じ待遇にしてはいかがでしょうか。もちろん相続も、です。偽装で入籍する輩がいる？　いいじゃないですか。今も偽装みたいな夫婦はいっぱいいるので。ただし注意してほしいのは、入籍すると、法律上の義務や責務も発生するということです。

　結婚じゃないので、賛成派反対派双方にとって、めでたし、めでたし。

　LGBTの方々で通学に悩んでいる子たちがいると聞きました。LGBTを受け入れる教室を今の特別支援学校に入れて、支援なんて上から目線の言い方は止めて、多様性開発学校としてはいかがでしょう。

第十一章

違憲状態

違憲状態とは?

　違憲状態というのは、いわゆる「一票の格差」のことですが、これは今選挙区の区割りしか違憲の状態にないからです。他の案件で違憲の状態になれば、他の意味で使える言葉でしょう。

　例えば、某国で戦争が起こり、日本人救出のために自衛隊機を派遣すると、微妙ですが、憲法違反になりそうです。この場合、首相が派遣を判断すれば、違憲状態で派遣することになりそうです。選挙区は違憲の状態で、長らく放置されているのですから、別に凄いことではありません。

　世論もむしろ良く決断したと言って、改憲の議論も進むかもしれません。首相が、自衛隊機をバックに、帰国した自衛隊機の機長と握手して、帰国した人たちと記念撮影すれば、良い画が撮れそうです。

第十二章

原発問題

福島原発の処理水

福島原発の処理水は、「東京湾」に捨てましょう。安全だから心配ありません。

もし、東電がもう一度、安全な原発を造るのであれば、東京湾の台場に造りましょう。

東京電力なのだから。

第十三章

グレタさん

非難する人へ

　グレタさん、伊藤詩織さん、望月記者、蓮舫さん、眞子さまを非難する人って、同じ人のような気がしませんか?

　子供の頃から、賢くて目立つ言動の女子に反発する男子はいました。特にきれいだと鼻もちならないのです。これはまず感情で来て、その後理屈をつけているので、言った(書いた)本人は理屈しか覚えていません。活躍する女性たちに批判的なコメントを書いている男子は、その前に、胸に手を当てて、俺は今くだらないことをしようとしていないか、考えてみませんか?

　ところで、グレタさんは、地球温暖化の対策を訴えていますが、彼女の孫は、2200年に生きていることを、イメージできていますか?

第十四章

失われた30年

何が失われたのか

何が失われたのでしょうか？正社員のポジションくらいしか思いつきません（笑）。

相変わらず、毎年のように、大きなビルやショッピングセンターやタワマンができて、街は賑やかです。おいしいものは、毎月のように出てきます。先ほど、山形の老舗デパートが倒産したニュースが流れていましたが、山形には、大きなイオンモールもコストコもあります。

何が失われたのでしょうか？　経営者や役員が、もっともらえるはずだった報酬でしょうか？

一般的に、失われた30（20）年というのは、GDPの伸び率が下がったり、労働生産性が低くなったり、世界トップ100に入る会社が減ったりしたことを言います。

一見、何か悪化しているように見えますが、GDPは中国に抜かれたものの、世界第3位です。マラソンで言えば、万年2位が3位に落ちただけで、他の国の記録は上がってきていますが、当面抜かれそうにありません。自信を持ちましょう。

1人当たりのGDPは28位くらいです。1人当たりが作ったモノやサービスが少ない、ということですが、当然です。日本には無駄な仕事が多いのです。それをみんなで分け合っているから、1人当たりの生産性が悪く、平均年収も世界で22位くらいなのです。

　ちなみに、日本に無駄な仕事が多いのは、アメリカの陰謀という説があります。都市伝説かもしれません。アメリカが、戦前にスパイを使って、日本に、会議をいっぱいやって、調査もいっぱいして、事前に何回も検討をして、資料をいっぱい作って、また会議をやって、これを繰り返し、最後に、稟議書には、ハンコがいっぱい必要な仕組みを浸透させたというのです。

　先に書いたように、AI化を進めながら、ムダな仕事を減らして、かといって、リストラも賃下げもせずに、新たな仕事につくことができて（今は人手不足の産業も多いのです）、1.7倍の年収になれば、今なら世界でトップ10です。実は、トップ10の国は、消費税率が高い国が多く、年収の実感はもっと上になるかもしれません。トップ10の国は欧州が多いのですが、実は物価が高くて外食もままなりません。日本はワンコインでおいしいものが食べられるいい国です。

それに関連して、一つ大事な話があります。私の正体は、サラリーマン大家-Xですから、本業?の不動産の話をします。銀行は、変動金利で0.5%以下の金利で、住宅ローンをたくさん組ませますよね。確かにマイナス金利なので、赤字にはなりませんが、儲けもほとんどありません。どうして、こんなことをするのでしょうか?

　いつか金利が上がることを、確信しているからです。何年後か、何十年後かは分かりませんが、「いつか」は必ずくるのです。今は儲からないけれど、35年の間に必ず上がるだろう、と信じているのです。

　ちょっと違いますが、似たようなことがアメリカで起きました。サブプライムローン問題です。貧困層で住宅ローンが返せなくて家を出され、家の価値が下がって、リーマンショックへとつながりました。

　この本で書かれたことを実践すれば、景気が良くなって金利が上がり、意外と早くその日はやってくるかもしれません。

　特に、金利が低いからといって、身の丈以上の物件を買って、いっぱいローンを組まれた方は、要注意です。一度、ネットのローンシミュレーター

で、残債を入力して、3%、5%の月々の返済額を見てください（怖がってはいけません）。目ん玉が飛び出るというのは、こういうことを言います。

　繰り上げ返済をして、固定金利に切り替えた方がいいでしょう。これから買う方も、身の丈に合った物件で、なるべく多く頭金を用意して、固定金利で借りることをおススメします。

第十五章

独裁国家と
経済成長

独裁国家の凄さ

　ちょっと物騒なタイトルですが、決してそんなことはありません。前の章で話した、GDPで中国に抜かれた理由と、それは今の日本には決してマネできないということを書きます。

　私は、2000年代に中国関係の仕事をしており、頻繁に中国を訪れました。香港の北に、広州デルタと呼ばれる工業地帯があるのですが、大げさではなく、出張のたびに新しい高速道路ができていて、そこを通って目的地に行きました。

　これは、日本には絶対にマネできません。立ち退きに時間がかかるからです。中にはマッカーサー道路のように、70年近くかかったケースもあるのです。

　さらに大きな工場を毎月ドンドン建てますが、これもマネできません。家やお店を、強制的に短期間で立ち退きさせる必要があるからです。

　全国から若い労働者を集めて、一気に工場の生産量が上がって、生産物を高速道路で輸送して、輸出しました。

輸出や内需が増えて、GDPも日本を抜きました。私が最初に行った頃は、一般市民は身なりが貧しい人が大勢いました。ところが2000年代2010年代と、日に日に豊かになっていくのです。

　女工さんはある日突然、昼休みに携帯を見始め、テレビは大型で、車は国内生産の欧州車で、きれいなショッピングセンターができて、デパートにはブランド品が並び、外国旅行、クルーズ船がはやっているのです（もちろん農村には貧しい身なりの人たちが今もいます。都会に浮浪者もいます→お恵み用のQRコードを印刷した紙を持っているそうです）。

　14億の人を一気に豊かにするために、強制的に住居や店舗を排除し、お金を刷って投資し、工場を建て、海外企業の誘致を行って優遇し、これを短期間で行うことは、独裁国家でなければできなかったことです。

　繰り返しますが、私は右でも左でもありません。私が見た事実を述べているだけです。

　次に書くのは、独裁国家の凄さの一例です。

　広州デルタに東莞市という大都市があります。工場がいっぱいあります。技術者が世界中からた

くさん来ています。普通単身赴任です。

中国での設計開発の仕事は、中国人とのコミュニケーションもあり、大変ストレスの溜まる仕事です。

仲間と夕食の後、女の子のいる飲み屋さんに行きます（行かない人もいっぱいいます）。普通この手の飲み屋さんは「カラオケ」と呼ばれます。中国には2種類のカラオケが存在します。

中国政府はある日突然、風俗の観点から、今後1、2カ月で、東莞のカラオケ（女の子のいる方）を全部閉店する、というアナウンスをして、本当に閉店させました。

中国人用の店も多かったので、あっという間に職を失った若い女の子が、街にあふれました（ほとんどが地方出身者です）。工場で働きだした人も多いそうです。この動きは、順番に中国各地の都市に広がりました。

このような強制的に短期間で行う事例は、枚挙にいとまがありません。禁煙、公務員との会食制限、不手際な役人の排除、などなど、世論にも、企業にも、役所にもほとんど説明抜きで実施してきました。

独裁主義は、経済面では自由民主主義より、効率的であると言えます。

　ただ、振り返ってみると、60年代、70年代の高度成長期の日本は、個人の権利が、今よりもはるかにないがしろにされていました。立ち退き、公害、労働問題などが起きていました（なかなか問題として取り上げられませんでしたが）。つまり高度な成長をするときには、「民主」主義は「邪魔」になるという、不都合な真実があるのです。

　シンガポールが大発展しているのも、独裁国家という側面もあるのかもしれません。

　中国も最近は伸びが鈍化していますが、発展してクルーズができるレベルまでになったので、当たり前です。

第十六章

天下りは
なくならない

天下りする彼らの日常

なぜなら、彼らは他にすることがないからです。報酬と同じ額を、年金に追加してもダメです。個室、秘書、黒塗りの車が必要です。そうしないと落ち着かないのです。

普通、彼らの趣味はゴルフくらいで、「お見事！」とか言われるのが、心地いいのですが、部屋にこもってゲームをしたり、家庭菜園に精を出して、老後を過ごすことができません。アメリカ人には趣味人が多く、ボランティアに慣れているので、早く引退できます。

報酬はまあ、今までの苦労と業績を考えれば、多少はいいのですが、本当に困ったことは、彼らが個室を持ちたがるために、無駄な特殊法人や組織を作ろうとすることで、余計な税金がかかることです。

若い役人の方は、ぜひ趣味もいっぱい持ってください。

第十七章

麻薬、盗撮、万引き
は病気

医療刑務所へ

　よく考えてみると、麻薬は他人に迷惑をかけていないのに逮捕される不思議な犯罪です。お酒の方がよっぽど迷惑ですが、酔っぱらいは逮捕されません。

　盗撮も自分で撮らなくても、その手のサイトには写真がいっぱい載っているのですが、ハラハラドキドキしたいがため、リスクを負っているのです。

　万引きもそうです。お金があっても、つい、いつのまにかやってしまうのです。

　アルコール依存症、ギャンブル依存症もふくめて、患者を減らしていくには、同じ悩みを抱えた人が集まって話し合うのが有効みたいです。でも、盗撮は集まりにくいかな。

　いずれにしても、刑務所は違うなーと思うのです。

第十八章

日本語を大切に

新しい日本語を作る

中国では、クラウドを「雲」といいます。直訳です。

中国は、中国語を用いて翻訳した新語を作るのですが、日本はカタカナが好きです。前にプレゼン資料を見たとき、半分以上カタカナでのけぞりました。

一般化した最後の日本語の新語は「携帯電話」かな。まあ、接続性とか持続性とか、微妙に新しい使い方の日本語はあるけど、新語としては見当たりません。「仮想現実」くらいかな。

最初にクラウドを導入した会社は、どうして「雲」と訳さなかったのでしょうか？　クラウドの方がカッコよく聞こえるからなのでしょう、というか雲なんて思いもしなかったからでしょう。小池知事もそうですが、カタカナ語を混ぜるとカッコよく見えるのです。プレゼン資料も、なんとなくもっともと思ってしまうのです。でも、日本語にしても中身はなんら変わらないのです。

ちなみに中国は政府が言葉を統制管理しています。マクドナルドもスターバックスも漢字です。

独裁国家だからできることなのかもしれません。

　2040年にカタカナだらけは寂しいので、どんどん日本語の新語を作ってください。

第十九章

借金は怖くない

コロナウイルスと借金

　今（2020年3月）、新型コロナウイルスで大変ですが、ぜひコロナ国債を発行して、全国民の収入の減少分を全額補償しましょう。国債を発行して、国の借金が増えると大変だ、と言う人たちがいますが、間違っています。借金が増えるだけですから。マイナス金利で発行して、日銀に引き受けてもらえばいいのです。ハイパーインフレになる、と言う人がいますが、間違っています。インフレになりそうになったら、通貨発行を停止すればいいのです。インフレになる分の通貨がないのでインフレになりません。但し条件があります。国民がきちんと納税する事が前提です。お金を配りすぎると働かなくなるので、注意しましょう。

　これは日本国という、いわば家庭内でのやりとりなのでいいのですが、良い子のみなさんはマネして借金してはいけません。

　ところで、みなさんは住宅ローンを組まれると年収の何倍もの残高が残るでしょうが、これは残高2.5年の日本国債よりも、みなさんの方が信用が高いということでしょうか？

第二十章

生保レディは
つらいよ

生保レディの実態

　私の知り合いに生保レディの方がいますが、なかなか大変な仕事みたいです。驚いたのは、お客さんのところに行く交通費は自腹なのですね。お客さんに配るカレンダーやギフトも自腹です。個人事業主か社員か、よくわからない立場のようで、TVのCMのようににっこり訪問していますが、内心は結構ツライようです。

最終章

地球はガラパゴス

我々はトカゲである

「スターウォーズ」は、いつの時代の話だと思いますか?

遠い未来の話のように見えますが、映画の冒頭にあるように、遠い昔(Long time ago)の話なのですね。あの映画に登場した方々の子孫は、今どうしているのでしょうか?

138億年前にビッグバンが起き、銀河系はその1億年後にできたそうです。46億年前に太陽系ができました。太陽系は比較的若い星々です。

私は統計や確率を学んだのですが、宇宙の星の数から、宇宙の星に、人類程度(以上)の文明が発生している確率は、99.9999…%ではないでしょうか。

地球は比較的若い星ですから、何百万年、何千万年、何億年前に、文明が発生しているのです。

宇宙の星々を地球に喩えると、地球はガラパゴスくらいのポジションなのではないでしょうか。我々はガラパゴスで一番繁栄しているトカゲなので、人間を認知理解できないのです。

先進国はガラパゴスを保護・観光するくらいで、SF映画のように、攻めて占領しようとは思いません。

　これは全くの想像ですが、宇宙の先進星の方々は、肉体は（基幹部分を）どこかに大切に保存して、意識のみ、あるいはアンドロイドに意識を乗せて、生きているのかもしれません。

　意識のみならば、今のバーチャルのような世界で生きているので、建物とか道路のようなモノは不要です。アンドロイドならば、サイズを縮小してコンパクトに暮らせます。時々、人間のアンドロイドに入って、地球に観光に来ているかもしれません。温泉に入って「やっぱ、本物は違うねー」とか言って。

　彼らは、地球を基本「ありのままに」放置しますが、時々、救世主を作って、ある意識を注入しているかもしれません。「キリスト」とか「ガンジー」とかに。

　大戦を放置したのは、平和のための厳しいプロセス、だと知っているからかもしれません。日本も、悲しいことですが、300万人の犠牲のおかげで、軍主導の帝国主義から脱し、二度と戦争を引き起こさなくなりました。

ということで、私たち地球人は、これからも安全に暮らせます。ポイントは、人類の英知でこれからも発展していけるのか、あるいは、宇宙の方々の、お世話にならなければいけない事態に陥るのか、です。

おわりに

　この本は「道具」です。カッコよく言えば「経典」です。読んだ人が感じて、自由に解釈してください。あえて言葉足らずにしたところも、いっぱいあります。

「小中高生のみなさん」

　まず内容を理解してください。同意する必要はありませんが、何を言っているのか、理解してください。ウィキペディアでいいので、知らない言葉を調べてください。きっと将来役に立ちます。経済のところはちょっと難しいですが、先生に聞いたりして、理解できれば、社会がよりよく見えてきます。

　理解できたら、まず自分で考えてみてください。自分ならこうだ、という意見を持ってください。友達と読み合わせをして、意見をぶつけ合ってください。結論を出すことは重要ではありません。自分で考えて、人の意見に耳を傾けることが重要です。

「学生のみなさん」

　ぜひ、ゼミや有志で読み会をして、議論してください。どのテーマも重要ですが、大事なことは、政府が、とか、企業が、とかではありません。「私たちが」何をしていくことが重要か、を議論してほしいのです。そして具体的に研究してください。

「社会人のみなさん」

　それぞれの分野で、より具体的に考えてほしいのです。

　どんなAIロボットを開発すればいいのか？

　人材不足の建築現場の自動化を加速させるには？

　どうすれば、介護される人の、下の世話を自動化できるか？

　どんな労務の調整を行うマッチングシステムを作ればいいのか？

　教育用タブレットとカメラとマイクを使って行う教育システムの開発。

などなど……

「お役人のみなさん」

　法人税改正、AI推進、経済改革、働き方改革、男女共同参画、ジェンダー、教育改革、そして外交。どうか初心に帰ってよろしくお願いします。ちょっと失礼なことも書いていますが、戯れ言と聞き流してくださいますようお願いします。

「政治家のみなさん」

　全部ですが、特に法人税改正、AI省人化推進法の制定そして外交。この本には活躍しがいのある内容がいっぱい入っています。

「マスコミのみなさん」

　ぜひ、取り上げてください。

「経営者のみなさん」

　私の「なんちゃって」ピケティの法則のご理解と、過剰な投資や内部留保を積極的に賃金と配当に回すことと、AIによる省人化の推進。

「資産家のみなさん」

　報酬ダウンと、遣いきれない莫大な資産を、寄

付などを通じて、投資ではなく消費に回すこと。

　ちなみに資産は株が多いと思いますが、いっぱい売ると株価が下がると言いますが、下がればいいのです。株券はお札みたいなもので（どっちも今はデータですが）、そのものには価値はないからです。ある会社の株が売られ、急に株価が下がっても、急にその会社のパフォーマンスが下がるわけではなく、株価に関係なく社員は働くのですから。

　感想、質問などは編集部の「明るいミライに」宛に手紙、はがきで送ってください。お約束はできませんが、個人情報を守って引用して、続編を書くかもしれません。

　では、皆さまのご活躍をお祈りして終わります。

令和の救世主-X

ボーナス
トラック

アウトテイク❶ 石原莞爾と東条英機

　東条英機はご存じでしょうが、石原（いしわら）莞爾は聞いたことがある、くらいの人が多いかもしれません。満州にいた時に、満州事変（ひいてはそれが日中戦争、太平洋戦争に繋がっていった）を企画実行した軍人です。

　私はこの2人が日本人300万人を殺した、と考えています。逆に言えば、この2人がちゃんと仕事をすれば、戦争を起こさずに、300万人が死なずに済んだということです。

　私にとって石原は最も「無責任」だった男です。非常に頭のいい人で、特に好戦家でもなく、ある理想を持っていた人です。満州で理想の国を建て、それをもとに日本の国力を上げていく、というもので、満州の人にとっては迷惑な話かもしれませんが、植民地が常識だった時代には、日本では受け入れられる思想です。

　問題は、彼が帰国後、中国は彼が考えていた方向とずれ始めたことです。しかし彼はほったらかしにしました。つまり自分が起こしたことの修正・尻拭いをしなかったのです。後からどんどん悪くなっていくのに何もしなかった（実際には何かし

たのかもしれませんが、彼の性格からうまくいかなかったのかも）、典型的なダメ役人です。

その後、せっかく満州に再赴任しても、そのときの上司の東条に正面からぶつかって、すぐ帰国させられます。不器用な人です。そして東条に干されて左遷されても、自分はおとなしくしていた、負け組無責任研究派なのです（ちなみに現役を退いても終戦工作をしていた元軍隊幹部はいっぱいいます）。

この人は立派な考えを持っていたので、戦後評価する人も多いのですが、私からすれば、火をつけただけで後は何もしなかった、不器用な無責任男です。

東条英機はご存じの通り、開戦時の総理大臣で陸軍大将です。この人が開戦したのです。そして300万人が死んだのです。この人が「身をていして」反対すれば300万人は助かったのです。

東条は別に好戦家ではありません。侵略主義でもありません。一言で言えばただの「××」です。

ビジョンも戦略も分析能力もありません。今からすると考えられないでしょうが、開戦するにあたって、どのような状況をゴールとするのか、目

標設定をしていません。想像もしていません。負けるという研究レポートが出てくるのですが、無視します。開戦後、戦況はどんどん悪化しているのに、必死にポストにしがみつきます。そのために死者は増えるので、彼が殺しているようなものです。兵隊の命なんか、自分のポスト維持に比べれば、どうでもいいのです。それどころか、大学生まで徴兵して、たくさん死なせたのです。

　私がここで書きたかったのは、現代もミニ石原、ミニ東条がいっぱいいるということです。上司、同僚、先輩、同級生、ママ友、嫁姑、パートナー、あなた……

　私はスマホを持っていません。SNSもしません。小学校以来の親友がいます。年に一回会ってお酒を飲みながら話をしますが、本当に楽しい時間です。彼がSNSで毎日何かを更新しているのか、していないのか、聞いたこともないし、まったく気になりません。

　年に二回くらい飲む仲間が幾つかありますが、突然メールが来て、あるいはこっちが誘って飲み会を開きます。どーってことない内容でゆったりとした時間がすごせます。時々メールで不動産に関する質問が来たりします。頭の中がオバサン化しているので、オバサンの女子会に参加しても、男性として意識されません。

　若い頃は藤岡弘に、最近ではブルースウィリス、キーファーサザーランドに似ている、と言われたことがありますが、体形は小柄な方です。

　普段は、朝ゴミ出しをして、洗濯機を回して干して、自宅で数時間仕事をして、昼に何か作って食べて、食洗機で昨日の夜からの洗い物をして、午後は色んな趣味を行って、時々猫に使われて、

洗濯物を取り込んで、お風呂に入り、夕方、働いているパートナーから電話が入って食べたいものを聞かれ、ベンチシートの食卓でTVを観ながらチビチビ2時間くらい飲みます。二人ともお酒好きなので、おかずは居酒屋のつまみみたいなものが多いです。先に眠くなった方から寝ます。

　パートナーとはケンカをしたことがありません。子供たちは独立していて、たまに会って外で一杯やったり、正月に集まったりします。時々相談のメールや電話が来ます。仲のいい家族だと思います。

　持病があって時々ツラクなりますが、生死にかかわるものではないので、一生つきあっていくしかありません。

　私は人のことに全く関心がなくなりました。というか、人が私のことをどう思うかは、どうでもよくなりました。生きていてとてもラクです。人の言動を全く気にしないので、余計なストレスもありません。

　私も昔は人が気になっていた時期がありましたが、結局、自分が人からどう思われているのかを気にしていたのでした。そして人と自分を比べていたのです。ストレスもありました。

ある時、人が私をどう思うかは、その人の自由な権利であるということに気づき、そこに介入してはいけないと考えて、今日に至っています。そうすることで、人のことも気にならなくなってきました。

　結局、全ては自分なのですね。人とのトラブルを回避するには、何を言われても冷静に対応して、その後、気にしないか、あるいはどうしてもしつこい人は、そこから離れるしかないのです。

　世の中には色んな価値観があります。例えばPTA会議は、ママ友のおしゃべり会と考えている人もいます。こういう人に業務の効率化や改善を提案しても、自分のおしゃべり会が減るのは困るから反対されます。彼らの趣味に介入するのは止めて、適当に合わせていけばいいのです。町内会にも同じような人がいそうですね。

　会社での人間関係で大事な事は、職場の人を理解することです。人のことに関心がない、と矛盾するじゃないか、と言われそうですが、そんなことはありません。前にも書きましたが、一人ひとりの仕事のやり方、速度、くせ、得意なこと、苦手なこと、好きなこと、嫌いなことをゆっくりと観察してください。その人の持つ価値観のようなものが見えてくるはずです。そして、それを「認

めて」ください。

　友人やパートナーも同じだと思います。あなたの持つ価値観も、あまたあるなかのひとつにすぎず、絶対的な普遍的なものではないのです。

　私はプライベートで人に頼み事をしません。もしも頼んで、それができなかったらガッカリするからです。逆に頼まれ事をされたら、全力最優先で対応します。

　私の時代の教育には、「自分らしさを探す」とか「夢を追いかける」とかは、入っていませんでした。ということで、私は今も「自分らしさ」はわかりませんし、「夢」もありません。毎日を淡々と生きているだけですが、それだけでとても幸せです。

アウトテイク❸ 自殺は病気です

三浦春馬さんが亡くなられました。大好きな俳優だったので、とても悲しいです。

自殺の兆候が見えたらためらわず精神科に行かせましょう。でも、彼・彼女は必ず拒否します。自殺の悪魔が話させているのだと思ってください。行こうとしない場合は救急車を呼んでください。先に救急隊員に彼・彼女がおかしいので精神科に入院させたい、と言ってください。絶対に逃がさないでください。逃すと死ぬかもしれません。冗談ではなくスタンガンも必要かもしれません。

彼・彼女は注射や薬でいっぱい寝かされます。入院して一ヶ月くらい療養すれば大丈夫です。

繰り返しますが、ひどくなった時の彼・彼女は別人です。悪魔が言わせているのです。

アウトテイク❹ 戦争は起きない

日本が接している中国、韓国、北朝鮮、ロシアとは戦争は絶対に起きません。

理由も大義名分もないからです。どこかが攻撃したら国際社会から笑われます。

アメリカと中国がどうなるのかは分かりませんが、ひょっとすると国内の米軍基地は危ない存在かもしれません。

中国と韓国とは島の領有権で揉めていますが、戦争をするほどの問題ではありません。

アウトテイク❺ 安保条約を破棄して、新たなアジアの平和条約を結ぶ

日本を舞台に戦争は起きないので、米国との安保条約は破棄し、東アジアでの安全保障に関する条約を結びましょう。米軍基地は最小限、三沢、横須賀、沖縄（の一部）でいいのではないでしょうか？

自衛隊は規模を縮小して、予算をイージス艦ではなく、AI、ロボット、ドローンに回します。2040年には戦争は機械が行っているでしょう。

最近欧州の軍隊がアジアに来ますが、これは中東が落ち着いてきたので、余った予算を使うためと、うがって見ています。台湾が戦火を交えるかを決めるのは、台湾の「国民」です。

【著者紹介】
令和の救世主-X（れいわのきゅうせいしゅ えっくす）
1957年、神奈川県生まれ。大手電機メーカーのエンジニアとして働くかたわら、2001年から副業として不動産を所有し、大家業をはじめる。地域密着型の不動産経営を行い、サラリーマン収入とは別に安定した収入を得て、現在に至る。

明(あか)るいミライに
令和(れいわ)のバイブル　新装改訂版(しんそうかいていばん)

2022年11月30日　第1刷発行

著　者　　令和の救世主-X
発行人　　久保田貴幸

発行元　　株式会社 幻冬舎メディアコンサルティング
　　　　　〒151-0051　東京都渋谷区千駄ヶ谷4-9-7
　　　　　電話　03-5411-6440（編集）

発売元　　株式会社 幻冬舎
　　　　　〒151-0051　東京都渋谷区千駄ヶ谷4-9-7
　　　　　電話　03-5411-6222（営業）

印刷・製本　中央精版印刷株式会社
装　丁　　弓田和則

検印廃止
©Reiwa no Kyuseishu-X, GENTOSHA MEDIA CONSULTING 2022
Printed in Japan
ISBN 978-4-344-94301-8 C0095
幻冬舎メディアコンサルティングHP
http://www.gentosha-mc.com/